¿PUEDEN LOS ADULTOS CONVERTIRSE EN HUMANOS?

Historias de Jim Benton de la Escuela Secundaria Mackerel

QUERIDO DIARIO TONTO:

¿PUEDEN LOS ADULTOS CONVERTIRSE EN HUMANOS?

POR JAMIE KELLY

SCHOLASTIC INC.
New York Toronto London Auckland Sydney
Mexico City New Delhi Hong Kong Buenos Aires

Originally published in English as
Dear Dumb Diary, Can Adults Become Human?

Translated by Aurora Hernandez

ISBN 13: 978-0-545-01448-9
ISBN 10: 0-545-01448-4

12 11 10 9 8 7 6 5 4 3 11 12/0

Printed in the U.S.A.

First Spanish printing, October 2007

A las señoras de la oficina
porque la mayoría son
simpáticas y muy amables.

Gracias a Mary K., Summer y Griffin, que ayudan más de lo que nadie pueda imaginar.

Gracias a Maria Barbo, que trabajó desde lejos, y a Shannon Penney, que trabajó desde muy cerca.

Gracias también a Steve Scott, Susan Jeffers Casel y Craig Walker.

Y sobre todo, gracias a los lectores de QDT.

ESTE DIARIO ES PROPIEDAD DE

Jamie Kelly

Escuela: Escuela Secundaria de Mackerel

Casillero: 101

Profesora favorita: Srta. Anderson

Animal favorito: Koala. También perros, pero no los que huelen mal.

Caramelos que más odia en el mundo: Los que están rancios.

UN SER HUMANO
DECENTE NUNCA
LEERÍA EL DIARIO
DE OTRA PERSONA.

SOLO UNA BESTIA HARÍA ALGO ASÍ

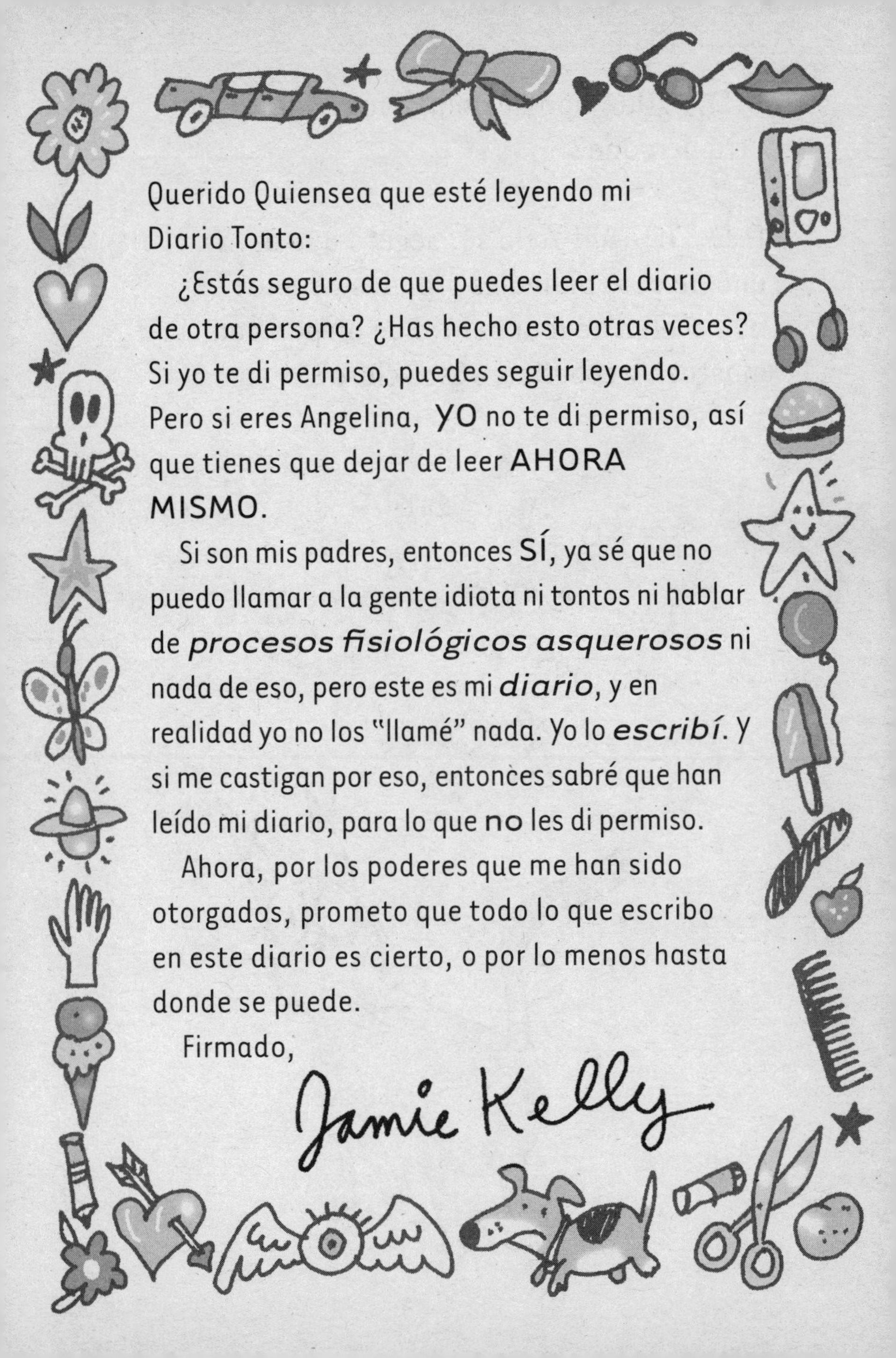

Querido Quiensea que esté leyendo mi Diario Tonto:

¿Estás seguro de que puedes leer el diario de otra persona? ¿Has hecho esto otras veces? Si yo te di permiso, puedes seguir leyendo. Pero si eres Angelina, YO no te di permiso, así que tienes que dejar de leer AHORA MISMO.

Si son mis padres, entonces SÍ, ya sé que no puedo llamar a la gente idiota ni tontos ni hablar de *procesos fisiológicos asquerosos* ni nada de eso, pero este es mi *diario*, y en realidad yo no los "llamé" nada. Yo lo *escribí*. Y si me castigan por eso, entonces sabré que han leído mi diario, para lo que no les di permiso.

Ahora, por los poderes que me han sido otorgados, prometo que todo lo que escribo en este diario es cierto, o por lo menos hasta donde se puede.

Firmado,

Jamie Kelly

P. D.: ¿Qué tipo de animal lee el diario de otra persona?

P. D. D.: ¡Ah! Ya lo sé. Seguro que es uno de esos animales grandes y sucios que suelen acabar dentro de un pan con mostaza y cebollas. ¿Está claro?

Y no olvidemos
qué le hizo la
curiosidad al
gato...

Lunes 2

Querido Diario Tonto:

LOS PROFESORES NO SE TIRAN PEDOS.

Me paso unos **ocho meses** al año y **siete horas** al día con profesores. Si lo hicieran, lo sabría. Las mamás lo hacen. Los papás lo hacen. Los perros beagle lo hacen (y a veces son tan apestosos que te pican los ojos y es como si se te salieran los pulmones por la boca).

Hasta *yo* lo hago. Una vez me tiré un pedo que duró tanto que cuando estaba en el medio del pedo empecé a acordarme de cuando había empezado.

En cualquier caso, hoy estaba en la escuela pensando en los profesores y sus gases intestinales y seguramente por eso no aprendí nada. A lo mejor los profesores tienen que hacerlo un poco mejor. (El enseñarme a mí, claro, no los pedos).

En serio, me resulta difícil culpar a los profesores. Debe de ser muy difícil ponerse delante de nosotros, seres humanos normales, e intentar convencernos de que el ecuador es interesante o que la ropa que usa la gente en Aquinostán es linda. (La moda en otros países a veces parece que consiste en que una persona reta a otra a ponerse algo en público).

Afortunadamente, hay una profesora que me cae bien: la Srta. Anderson, mi profesora de arte. Es como mi **MPPS** (mejor profesora para siempre) que es como la **MAPS** (mejor amiga para siempre) pero en profesora. Es linda como para ser camarera y se acuerda de cosas importantes como mi habilidad de hacer combinaciones secretas de brillantina. (Ahora estoy usando una mezcla secreta de dorado, rojo y magenta que es magnífica).

La clase de arte sería perfecta si Angelina (la Srta. Rubia Rubiales) no estuviera ahí. Angelina no es una artista, pero cuando se pone cerca de algo, hace que sea menos bello por comparación. Lo que, si lo piensas bien, es un tipo de vandalismo que desgraciadamente nuestro sistema legal no penaliza.

¿Ves? Hizo que la MONA LISA se convirtiera en una vieja rara sin cejas

Ah, y mamá **POR FIN** me compró los zapatos que quería. Papá, que es como es, solo tiene dos pares de zapatos y no puede apreciar lo importante que es un par de zapatos que en realidad no necesitas para nada.

Mamá es totalmente inmune a mis ruegos de casi cualquier cosa, pero como es una chica, o lo era antes, tiene muchos zapatos y puede entender a las chicas que quieren más zapatos.

En cualquier caso, me hacen aparentar unos 20 años.

Martes 3

Querido Diario Tonto:

Mi profesor de ciencias sociales, el Sr. VanDoy, nunca sonríe. Sé que es difícil de creer porque todo el mundo se ríe por algo, ¿no?

Isabella sonríe cuando sus hermanos se meten en problemas. Angelina sonríe cuando piensa que es más bella que, por ejemplo, una catarata o un unicornio. Yo sonrío cuando pienso en un unicornio que envía a Angelina a una catarata de una coz. Pero el Sr. VanDoy nunca sonríe por nada. Me pregunto si cuando te vuelves adulto pierdes el sentido del humor igual que pierdes los dientes, el pelo o el gusto en el vestir.

En la clase de ciencias sociales estamos estudiando las relaciones entre diferentes grupos de animales, lo que significa que estamos aprendiendo cómo las hormigas, los chimpancés y los monos viven juntos y se aguantan unos a otros. (Personalmente, odio tanto a las hormigas que si yo fuera una hormiga creo que no podría resistir las ganas de pisarme a mí misma).

Isabella dice que podemos hacer la tarea con la ayuda de los canales educativos de la tele, aunque parece que cada vez que pongo uno de esos siempre sale una pantera persiguiendo a un antílope monísimo, y eso no tiene nada que ver con la tarea.

Isabella dice que si ella fuera un antílope monísimo y viera a una pantera acercarse, le daría una coz a otro antílope monísimo en la espinilla para que no pudiera salir corriendo y la pantera se lo comiera.

No está mal, ¿no? Solo que estoy casi segura de que si Isabella fuera un antílope monísimo, todos los antílopes monísimos de África se dedicarían a cazar y comer panteras. Y también elefantes y seres humanos. Creo que no agradecemos lo suficiente que Isabella no sea un antílope monísimo.

Hablando de Isabella, noté que ella había notado mis zapatos nuevos, y también noté que ella notó que me hacen aparentar unos 20 años, pero además noté que ella intentaba que no se le notara que se había fijado en ellos, así que fui muy educada e hice como que no lo notaba porque para eso son las amigas.

Querido Diario, ¿alguna vez te he contado cómo nos hicimos amigas Isabella y yo? Fue instantáneo. Es lo que llaman **Amistad a Primera Vista**. Fue en segundo grado. El primer día de clases, nuestra maestra, la Srta. Baker, nos pidió que nos levantáramos y dijéramos nuestros nombres. Isabella se levantó y dijo: "Soy Isabella Vinchella", y a Lewis Clarke le dio risa.

Tuvieron que intervenir tres profesores y la mitad de la clase para separar a Isabella de Lewis, que sonaba como si fuera un xilófono. (Los sonidos eran más agudos cuando lo golpeaba en ciertas partes).

La violencia nunca es la respuesta, por supuesto, a no ser que la pregunta sea: "Oye, Isabella, ¿cuál es la respuesta?". Pero me causaba admiración el hecho de que ella fuera como una trampa de ratones pequeña y peligrosa donde no debes meter los dedos. Se lo dije y le gustó la descripción.

Nos volvimos amigas inmediatamente y lo hemos sido desde entonces, aunque a veces, Isabella, más que una trampa para ratones parece una bomba atómica en la que no debes meter los dedos.

Miércoles 4

Querido Diario Tonto:

Hoy en la clase de arte, la Srta. Anderson nos pidió ideas para el siguiente proyecto. Yo sugerí hacer autorretratos con mucha brillantina y adornos. Angelina sugirió hacer un collage (¡puaj!). Isabella sugirió que decoráramos candados para poner en nuestros cuartos y así evitar que nuestros hermanos nos tocaran nuestras cosas.

Aunque suele tener muy buen juicio, esta vez la Srta. Anderson le hizo caso a la idea del collage de Angelina. Supongo que esto es porque hay algún tipo de ley que obliga a hacer proyectos todos los años para los Disminuidos Artísticos. Como no todo el mundo tiene lo que hay que tener para convertirse en una artista importante, como en la que me convertiría yo si decidiera no ser una científica que también gana dinero bailando en la tele, las profesoras de arte de vez en cuando tienen

que hacer proyectos como los collages, que puedan hacer personas que tienen dedos de los pies en las manos. Un collage consiste en recortar revistas y pegar los trozos en un papel. No son proyectos difíciles de hacer.

Una vez, en una excursión al zoológico, vi una cabra que se había comido un periódico y algodón de azúcar y había hecho su propio collage por todo el corral. Un trabajo increíble para una cabra.

Yo me podía haber quedado con uno, pero mi profesor me pilló poniendo un trozo de obra de arte de cabra en mi bolsa de la comida.

Hacer un collage no sería tan horroroso si la Srta. Anderson estuviera subscrita a revistas **variadas**, porque casi todas las revistas que trae tienen titulares como COCINAR PARA UNO NO ES TAN TRISTE o A LO MEJOR LOS PERROS SON MEJORES QUE LOS MARIDOS.

También tiene revistas de novias, pero alguien les ha pintado a las fotos los dientes negros o flechas atravesando la cabeza, lo que las hace inservibles a no ser que tu collage sea sobre un chico que vive cerca de una iglesia y le gusta el tiro al arco pero tiene mala puntería.

Isabella dice que las revistas indican que la Srta. Anderson está desesperada por conseguir un marido, lo que es muy raro porque es más linda que la Srta. LaBeau, que vive en mi calle y que ya ha tenido unos cinco o seis maridos. Isabella dice que eso significa que la Srta. Anderson **debe de tener algún defecto que opaque su lindura.** Afortunadamente, Isabella tiene buenos razonamientos para todo.

Isabella dijo que la Srta. Anderson es lo suficientemente linda para comer una ensalada de desayuno, pero no lo suficientemente linda para lavarse los dientes con ketchup. Isabella también dijo que Angelina es lo suficientemente linda para lavarse los dientes con ketchup, pero no para quemar el acuario.

Isabella dijo que ella era lo suficientemente linda para poner mayonesa en las palomitas de maíz, pero no para quemar el acuario a no ser que Angelina y la Srta. Anderson la ayudaran. Isabella dice que **yo** soy lo suficientemente linda para que me exhiban en un acuario. (Supongo que tiene envidia de mis zapatos. ¡Ya te dije que me hacen aparentar unos 20 años!)

Seguro que
se refería a
un manatí

Hubo un tiempo cuando no sabía cómo reaccionar a esos comentarios de Isabella, pero después de haber sido su amiga todos estos años, sabía lo que tenía que hacer...

Después de eso, Isabella se pasó casi toda la tarde intentando despegarse del pelo la foto de la novia desdentada con la flecha en la cabeza. Supongo que así quedamos en paz.

Jueves 5

Querido Diario Tonto:

Está bien. Parece ser que no te puedes quedar en paz con Isabella. Había olvidado el día en que uno de sus malvados hermanos se comió la barra de chocolate que ella había estado guardando. Isabella entró en su cuarto, le metió un gusano en la boca y se la tapó con cinta adhesiva. No puedo ni imaginar el horror. Ahora su hermano se pone enfermo cuando ve chocolate, y ESO es lo que Isabella llama "estar en paz".

Aunque es verdad que lo del GUSANO era por chocolate e Isabella tiene un gran problema de dependencia con el chocolate, ella te la puede "jugar" —como dice ella— aunque no sea por chocolate.

Así que a primera hora de la mañana me la "jugó" y me llamaron de la oficina del director.

Pero seamos justos a la hora de echar la culpa. Sí, Isabella me acusó de pegarle la foto, pero la idea del collage fue de Angelina, así que ella tiene la culpa de todo.

Estoy casi segura de que en las oficinas de otras escuelas trabajan señoras amables y lindas, que no huelen a café barato y caramelos rancios. De hecho, no me sorprendería que fuera así en TODAS las escuelas. Menos en la mía.

Pero seamos justos, no son solo las señoras de la oficina. Muchos adultos tienen que beber café todo el día para estar despiertos y tener mal aliento.

Pero los caramelos son otra historia. A las señoras de nuestra oficina les **GUSTA** ser perversas, sobre todo conmigo. No serían tan perversas si en vez de comprar caramelos rancios para tener en la oficina compraran chocolates. Estoy segura de que cada vez que miran el cuenco con los caramelos rancios piensan: "Podríamos haber comprado caramelos ricos. Odiamos estos caramelos rancios. Los caramelos rancios no son buenos para nada. Nos desquitaremos con la primera persona que llegue".

Y normalmente yo soy esa persona.

Me pregunto si en todas las escuelas tienen un cuenco con caramelos en la oficina.

Isabella me había acusado con el subdirector Devon, que usa corbata pero aun así es simpático. Dijo que no debía pegar cosas en el pelo de la gente y que teníamos que ser amables bla, bla y que cómo sería el mundo si **bla, bla, bla**.

Estaba listo para ponerme un castigo cuando le pregunté qué había pasado con sus lentes (normalmente usa lentes **ENORMES** con las que creo que puede ver las moléculas) y dijo que su sobrina lo había convencido de operarse para no tener que usarlas, lo que debo admitir que fue una buena idea porque sin sus lentes casi parecía apuesto para ser viejo **(¡debe de tener cuarenta!)**. No es que sea una experta en la fórmula de Isabella de lo **SUFICIENTEMENTE LINDO**, pero creo que él no es lo suficientemente lindo para quemar el acuario. Aunque es lo suficientemente lindo para pisar un pez.

El subdirector Devon me pasó sus antiguas lentes y me preguntó si me las quería probar, lo cual hice, pero justo en ese momento, una de las señoras malvadas entró en la oficina y cuando me di la vuelta y vi su **Pura Fealdad** ampliada un millón de veces, grité. La **Pura Fealdad** nunca debería verse tan aumentada.

Supongo que mi grito asustó a la señora de la oficina porque salió rodando hacia atrás hasta el mostrador, derribando el cuenco con los caramelos rancios. Ya sé que esto suena divertido, pero se pone mucho mejor porque cuando la señora pisó uno de esos caramelos con sus horribles zapatos, su pierna salió disparada y su cadera hizo ¡pop! El ruido fue tan fuerte que se escuchó por encima de mis carcajadas.

Alguien llamó al 911 y el subdirector Devon me mandó de vuelta al salón de clases. Cuando iba hacia allí apenas podía creer que hubo un momento en el que pensaba que esos caramelos no eran buenos para nada.

Viernes 6

Querido Diario Tonto:

Isabella se disculpó por haberme acusado. Y yo me disculpé por pegarle la foto en el pelo. La disculpa de Isabella fue algo así: "Es tu culpa, Jamie. Tú ya sabes cómo me pongo cuando me quiero vengar".

No fue exactamente un poema sobre la amistad. Pero así es Isabella.

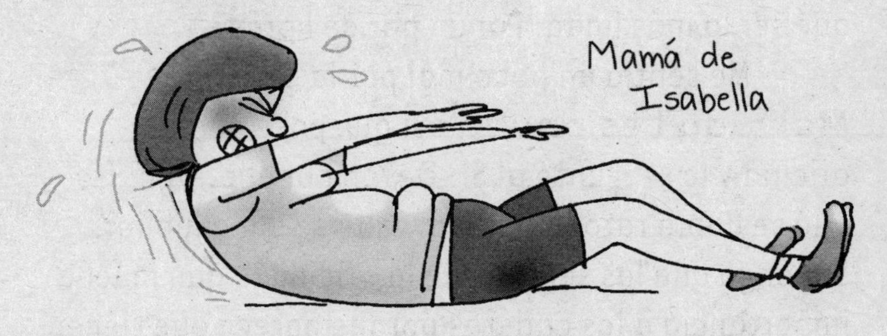

Además, su mamá acaba de empezar otra dieta, lo que quiere decir que todos en su casa tienen que seguir esa dieta, porque así es su mamá... Y cuando a Isabella le reducen la ración de azúcar, no es la misma de siempre.

Todos me han felicitado por atacar a la señora malvada de la oficina. En realidad yo no ataqué a nadie. Nunca atacaría a nadie. Que no fuera rubia. O Angelina.

Pero cuando las noticias viajan por la escuela secundaria, van creciendo a medida que las cuentan. Como el día en que corrió el rumor de que Angelina era la chica más linda del estado, lo que es totalmente falso porque podría haber alguien más lindo que pasara en avión sobre el estado, y cuando vuelas por encima de un estado, técnicamente estás en ese estado, así que Angelina no tenía por qué ser la más linda. Por un par de horas.

Me sentía un poco mal por la **Señora Malvada Lesionada** así que pasé por la oficina y le pregunté al Sr. Devon por ella. Dijo que se había roto la cadera y que se iba a jubilar. Supongo que las señoras de la oficina le dan mucha importancia a las caderas porque parece que tienen una competencia a ver quién la tiene más grande.

Silla de oficina diseñada para las señoras de la oficina

Los caramelos rancios desaparecieron y el Sr. Devon no me castigó por pegarle la foto en el pelo a Isabella, lo que quiere decir que soy lo suficientemente linda como para romper la cadera de una Malvada Señora de Oficina con la ayuda de un subdirector medio apuesto y la segunda chica más linda del estado. (Seamos realistas: la idea del collage de Angelina fue la razón por la que terminé en la oficina...)

Y Angelina, cuya vida es un **Paseo Continuo por la Pasarela**, encontró el momento para decirme: "Buen trabajo con la señora de la oficina, Jamie. Justo en el momento perfecto. Espero que la sustituta sea linda".

Lo que, ahora que lo pienso, es muy raro, ¿qué más le da a Angelina?

A no ser que esté planeando (como siempre he sospechado) deshacerse de todos nosotros, de uno en uno, y reemplazarnos por gente más linda. Y ahora me ha hecho cómplice de su siniestro plan.

Este es el problema con Angelina. Ya sé que no debería molestarme tanto. En realidad, Angelina hasta ha hecho cosas buenas por mí en el pasado, aunque he llegado a la conclusión de que fueron por accidente.

Hay algo que me irrita de la gente perfecta. Cuando Angelina es amable, me molesta. Cuando es linda, me molesta. Siempre es igual. Supongo que lo bueno es que ella no me puede molestar más de lo que me molesta ahora. La gente perfecta me pone enferma. A lo mejor así soy yo.

Mi tía Carol llamó mientras estábamos cenando, lo que molestó un poco a mamá, que había pasado toda la tarde estropeando la cena. Pero empezó a hablar con ella y se puso muy contenta cuando tía Carol le dijo que vendría a quedarse unos días con nosotros. Piensa mudarse a esta zona.

Mamá apenas notó cuando papá y yo escondimos con mucho cuidado debajo de la servilleta lo que no nos habíamos comido y luego lo metimos en la basura sin que nos viera. (Las artes culinarias de mamá hacen que el **Truco de la Servilleta** sea fundamental para la supervivencia).

"El truco de la rosa,"
muy útil para esconder
un trozo de cosa
asquerosa.

"La tienda"
Bueno para esconder
una cosa repugnante
más grande.

"El bandido"
Sirve para esconder
tu identidad cuando
te escapas de la mesa.

Tía Carol es la hermana menor de mi mamá, así que cuando la miro puedo imaginar cómo era mamá antes de que le afectara la **Mamosidad**. (¿O debería ser Mamosismo? ¿Mamitis? No importa porque en realidad no tiene cura).

Tía Carol es soltera, así que su vestuario es como la ropa de mis Barbies viejas salvo que ella no pasa tanto tiempo de puntillas.

Yo quiero a mi mamá, por supuesto, y si ella se parecía en algo a tía Carol, seguramente me habría gustado antes de que fuera adulta, pero como bien sabes, Diario Tonto, es difícil que te gusten los adultos, excepto los que se dedican a entretener a la gente (menos los payasos, que son horribles).

Sábado 7

Querido Diario Tonto:

Hoy vino Isabella. Teníamos que hacer un miniproyecto para ciencias sociales. Nuestro profesor, el Sr. VanDoy (el que nunca sonríe), nos dijo que intentáramos buscar aspectos del comportamiento social de la gente que se parecieran a los de los animales.

Isabella no suele ofrecerse a venir a hacer la tarea el sábado, pero en su casa sigue sin haber caramelos y nosotros siempre tenemos suficientes chucherías.

La semana pasada, el Sr. VanDoy nos mostró un video de chimpancés para hablarnos de las formas tan complejas que estos animales usan para comunicarse, pero después de ver un montón de monos en los canales educativos, he llegado a la conclusión de que cuando los monos se comunican dicen: "Oye, tú, ¿qué le pasa a tu trasero? ¿Te sentaste en la cocina o algo así? ¿Tienes que ir al hospital? A ti te pasa algo en el trasero".

Una vez que empezamos a hablar del tema, empecé a ver muchas cosas que los adultos hacen como los animales.

Mi papá va a la oficina todos los días y el edificio es como un panal donde los adultos van de un lado a otro y hacen miel y tienen que hacer lo que diga la abeja reina, aunque en el caso de mi papá es la abeja rey, y no hacen miel, sino cuentas.

Mi mamá es como una leona que vaga por la pradera, buscando instintivamente alimentos para su familia, por ejemplo, una cebra que se pueda meter en el microondas porque se tarda demasiado en cocinar una cebra de verdad.

E Isabella...

Pero el caso es que conseguimos ver cómo los adultos actúan como los animales, pero no pudimos encontrar ejemplos de cómo **nosotros**, los jóvenes, actuamos como los animales.

Isabella dice que según la ciencia, los adultos seguramente no son seres humanos. Y cuanto más hablamos de esto, más me convenzo de que tiene razón.

Son capaces de hacer actividades descerebradas durante horas

Después de hacer deporte huelen a camello.

No pueden resistir el babear encima de ti

Domingo 8

Querido Diario Tonto:

¡BRAVO! Tía Carol llegó hoy. Esto molestó un poco a papá porque tenía muchas cosas importantes que hacer, como vestirse mal o dejar un proyecto a medias en la casa.

Pero cuando vienen parientes de mamá, siempre consigue estar presentable... aunque a veces parece que le pica algo.

Papá intentando no pensar en cuánto le gustaría llevar ropa cómoda

Técnicamente, tía Carol es un pariente adulto y, normalmente, esto sería un problema ya que casi todas las conversaciones con parientes adultos son así:

PARIENTE VIEJO: ¿Cómo va la escuela?

YO: Bien.

PARIENTE VIEJO: ¿Y qué tal el fútbol?

YO: Bien. (Si explico que nunca he jugado al fútbol me hacen muchas más preguntas).

PARIENTE VIEJO: ¿Qué te parece toda esta lluvia que estamos teniendo?

YO: No sé.

Pero tía Carol es mucho más divertida:

TÍA CAROL: ¿Cómo va la escuela?

YO: Bien.

TÍA CAROL: ¿Hay algún chico asqueroso?

MAMÁ: Basta ya, Carol.

YO: Angelina es asquerosa.

MAMÁ: ¡Jamie!

TÍA CAROL: ¿Sabías que una vez, en la escuela, tu mamá se hizo pis en los pantalones?

MAMÁ: No hagas caso, Jamie. Se acaba de tomar la medicina para la alergia y no sabe lo que dice (le susurra algo muy enojada a tía Carol).

TÍA CAROL: ¡Bueno! Está bien. Dejaré el tema. Este... Jamie... ¿Qué te parece toda esta lluvia que estamos teniendo?

YO: No sé.

TÍA CAROL: Seguro que a tu mamá no le gusta nada. Podría mojarse los pantalones.

Ese es el momento en el que mamá le lanza algo a tía Carol y la conversación se acaba. Es muy difícil que no te guste alguien que puede hacer que tu mamá lance un almohadón.

Eso es porque son hermanas. Mamá dice que solo un familiar te puede enloquecer de esa manera. Ni siquiera un amigo o un enemigo, NADIE.

Es como el tonto y sucio de mi primo pequeño, que es alérgico a las fresas. Me vuelve loca pero por lo menos me viene bien en las reuniones familiares porque me pongo a su lado y parezco una chica limpia, lista y encantadora en comparación (y no es que no sea limpia, lista y encantadora, pero me hace parecer más limpia, más lista y más encantadora).

Creo que Isabella también podría hablar del **Problema de los Parientes**, y también su hermano malvado, el **Comedor de Gusanos**.

Lunes 9

Querido Diario Tonto:

¿Está *permitido* re-acusar? Porque resulta que Isabella se enteró de que al Sr. Devon se le había olvidado castigarme por pegarle la foto en el pelo, y **le dejó una** nota para recordárselo. Pero no puedes *re-acusar* a alguien, ¿verdad?

Yo estaba bastante enojada cuando llamaron *otra vez* de la oficina para soltarme un sermón sobre los peligros de pegar algo en el cuerpo de alguien y como el no pegarse cosas los unos a los otros fue lo que unió al mundo, o lo que fuera que el subdirector Devon me iba a decir esta vez. (Es por mis zapatos, ¿verdad, Isabella? Me hacen aparentar unos 20 años).

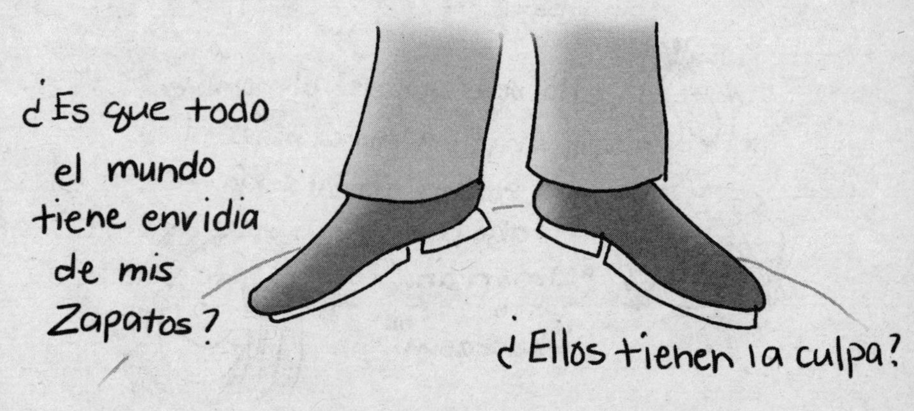

Ahora tenemos una señora malvada de la oficina menos, y las otras **Señoras Malvadas de la Oficina** debían de estar comprando más calderos para hechizos porque cuando llegué a la oficina del Sr. Devon no estaban, así que entré directamente y me encontré ni más ni menos que con la inconfundible e impoluta cabeza rubia de Angelina. Por un momento me sorprendí pensando en todos los horribles castigos que le podrían poner a Angelina.

Cambiar el color de sus ojos médicamente de azul bebé a caca de bebé

Reemplazar su melena de cabellos dorados por cerdas tiesas y duras del trasero de un jabalí.

No dejar que use el nombre de Angelina nunca más. Su nombre oficial sería algo como "Almorrana" o "Zurraspa".

Pero de repente se dio la vuelta y llevaba los lentes viejos del Sr. Devon, lo que ampliaba la **Pura Belleza** de sus ojos (que son del color de una piruleta azul) unas tropecientasmil millones de veces, y esta vez grité porque la **Pura Belleza** no se debería ver tan ampliada.

Mi grito hizo que ella gritara y yo salí hacia atrás y me di contra el mismo mostrador contra el que se había dado la Señora Malvada de la Oficina. Como soy una bailarina autodidacta, me debía de haber recuperado fácilmente, pero la suela de estos zapatos resbala y me di un golpe en la cabeza.

Lo siguiente que recuerdo es una **Cosa Fría y Pequeña** en la cabeza. La **Cosa Fría y Pequeña** es el tratamiento médico más sofisticado que te pueden dar en una escuela, es prácticamente su versión de un transplante de corazón, así que supongo que me debí golpear muy duro.

Después llamaron a mi mamá para que viniera a buscarme, pero vino tía Carol. Tengo que decir, Diario Tonto, que el subdirector Devon y tía Carol no sollozaban ni parecían nerviosos como yo habría esperado estando yo a punto de morir. De hecho, parecían estar —no lo puedo creer— *conversando*.

¡PUAJ! ¡¡¡¡EMERGENCIA!!!! Tengo que dejar de escribir. Stinker acaba de comer algo que mamá cocinó ayer y, aunque no lo creas, las recetas de mamá huelen peor cuando pasan por el sistema digestivo primitivo de un viejo perro beagle. Tengo... que... llegar... a... la... puerta... me... pican... los... ojos...

Martes 10

Querido Diario Tonto:

Anoche tuve que dormir en el sofá porque Stinker cometió un **Crimen Odorífero** en mi cuarto y aunque mamá normalmente me habría hecho dormir ahí, le dije que la combinación de los **Vapores de Perro Beagle** y la lesión de mi cabeza podría ser desastrosa. Le conté que hubo una vez una niña en otra escuela que se había ido de acampada y tuvo que pasar toda la noche en una tienda de campaña con un perro caniche que se había comido cuatro burritos. Cuando la encontraron al día siguiente, era un montón de cenizas. Puede que esa parte me la inventara, pero mamá me dejó dormir en el sofá y como estaba en el piso de abajo, oí a tía Carol llegar a las 11:30 y hablar con mi mamá en la cocina mientras yo me hacía la dormida.

Hacerse la dormida es la mejor manera de oír conversaciones siempre que lo sepas hacer bien. No tienes que apretar mucho los ojos y no puedes roncar como en los dibujos animados.

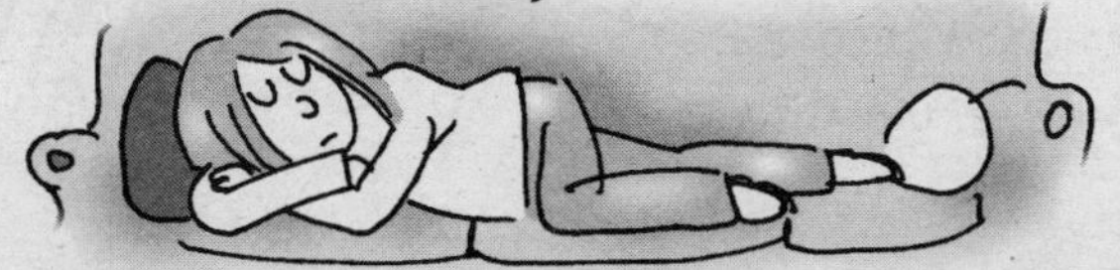

No pude oírlas muy bien, pero todo se volvió dolorosamente claro cuando esta mañana mi tía Carol me llevó a la escuela y ¡ESTACIONÓ EL AUTO! Esto me permitió echarle un buen vistazo a la Stra. Bruntford (la encargada de la cafetería), que también vigila el estacionamiento por la mañana, y está ahí para decirle a la gente donde no puede estacionar. Era demasiado temprano para ver a la Bruntford y se me estaban revolviendo las tripas. Pero la cosa se puso mucho peor.

—¿Sabes qué, Jamie? —dijo tía Carol muy contenta con una de esas voces que ponen los adultos que son para preocuparse—. Dan, quiero decir, el subdirector Devon me ofreció un trabajo en la oficina. Voy a trabajar en tu escuela. ¿No es maravilloso?

Tía Carol, tía Carol, tía Carol. (Suspiro tristemente mientras escribo esto). Hubo un tiempo en el que hubieras entendido que una persona preferiría bañarse en saliva de perro antes de que un pariente suyo trabajara en su escuela. Pero ahora parece que tú ERES UNO DE ELLOS. Tía Carol, eres una Adulta.

—Sí —mentí, y al darme cuenta de que le estaba mintiendo a tía Carol por primera vez, añadí—: Y no te estoy mintiendo.

Hoy en la clase de ciencias sociales, Isabella le preguntó al Sr. VanDoy (que nunca sonríe) si hay animales que se comen a sus propias sobrinas. (Yo le había contado a Isabella que tía Carol iba a trabajar en la escuela). Empezó a decir que había muchos, sobre todo animales malos como los cocodrilos y tiburones, pero que entre algunos primates, como los chimpancés, la relación entre tías y sobrinas era especialmente cercana, demasiado cercana, supongo, para que una tía chimpancé acepte un trabajo en la escuela de su sobrina chimpancé.

Pobre tía Carol (vuelvo a suspirar muy triste). Ya ni siquiera es un mono.

Miércoles 11

Querido Diario Tonto:

Isabella me preguntó hoy cómo me había castigado el subdirector Devon el lunes. Isabella ya ha demostrado ser una re-acusona, así que le hice creer que me había castigado. Como Isabella tiene hermanos mayores malvados, es una experta en mentiras. Una vez, Isabella convenció a una señora de la cafetería de que el doctor le había diagnosticado una deficiencia de pastel y que médicamente tenía que tomar ración doble de postre. Esto puede que no parezca importante, pero las señoras de la cafetería son muy listas, sobre todo las del departamento de postres, y conseguir un postre extra es algo sobre lo que la gente escribiría canciones.

Así que contesté:

—¿Tú cómo crees que me castigó?

¿Ves? Al hacer esto, hacía que Isabella me dijera una mentira que ella se creería.

—¿Detención? —dijo.

—Sí —contesté—. Detención.

¡Ja, ja! ¡Te engañé, Isabella!

Jueves 12

Querido Diario Tonto:

Está bien. No se puede engañar a Isabella tan fácilmente.

Debí de haber sonado demasiado feliz, o demasiado triste, o a lo mejor el detector de mentiras que tiene en el trasero empezó a sonar, pero no se lo creyó y me volvió a acusar, OTRA VEZ. Y OTRA VEZ tuve que ir a ver al subdirector Devon y, lo que es peor, mi tía iba a estar ahí.

Pero la oficina era totalmente distinta a la anterior. Las señoras de la oficina SONREÍAN. Había música de fondo. Había flores y en lugar de los caramelos rancios, había un cuenco lleno de barritas de chocolate.

En medio de esta oficina transformada estaba mi tía Carol.

—¡Jamie! ¡Hola! Chicas, esta es mi sobrina, Jamie —dijo.

Las Señoras Malvadas de la Oficina SONRIERON con esa cosa fea que tienen en la parte de delante de la cabeza (donde normalmente iría la cara). Nunca lo hubiera creído.

Entonces, el subdirector Devon salió de su oficina y me enseñó el último informe de Isabella.

—Tu tía me ha hablado de Isabella. Supongo que seguirá re-acusándote hasta que te castigue. Así que... —Tiró la nota al piso—. ¿Qué te parece si recoges ese papel y lo tiras a la basura? Así le puedes decir que te hice limpiar la oficina.

Increíble, ¿verdad? Su solución era una especie de mentira y verdad a la vez.

Había oído que si ponías un mono enfrente de un teclado, al final acababa escribiendo Romeo y Julieta. Esto quiere decir que hasta un mono, por accidente, puede hacer algo que parece humano, y creo que eso es lo que estaba haciendo el subdirector Devon.

Solo la gente joven sabe decir una mentira y una verdad al mismo tiempo, pero el subdirector Devon lo hizo delante de mis propios ojos.

Así que sonreí, recogí la nota y la puse en la basura antes de que se acabaran las barritas de chocolate o parara la música o el mono dejara de golpear el teclado.

¿Serán los adultos bestias salvajes?

(a no ser que haya un adulto leyendo esto, en cuyo caso la respuesta es NO).

Viernes 13

Querido Diario Tonto:

Mamá dijo que tía Carol iba a invitar a algunas personas en un par de semanas. Mamá dijo que se trataba de una fiesta, pero por supuesto, como los adultos no son seres humanos totalmente formados, no es una fiesta de verdad.

Tía Carol estaba hablando con mamá de no sé qué cita que tenía esta noche, lo que era tan asqueroso de escuchar que no pude dejar de hacerlo. Pero dejaron de hablar cuando me vieron casualmente escondida cerca de la cocina y no me dijeron con quién era la cita asquerosa.

Tía Carol es lo suficientemente atractiva para ser cajera en un banco, pero es casi tan vieja como mamá, así que su cita podría ser con alguien:

A) Más atractivo que ella, pero más tonto.
B) Menos atractivo que ella, pero más divertido.
C) Igual de atractivo, pero más bajo.
D) El dueño de un auto bueno.

Como no puedo contar con Stinker cuando lo necesito, tuve que meter en su comida, sin que se diera cuenta, una lata de frijoles para que volviera a apestar mi cuarto y yo pudiera dormir en el sofá.

Ahora todo lo que tengo que hacer es esperar hasta que el perro se tire uno.

Sábado 14

Querido Diario Tonto:

En serio, ¿cuán egoísta tienes que ser para no compartir tu olor con alguien? Stinker es tan testarudo que se negó a tirarse un pedo durante toda la noche para que yo no pudiera dormir en el sofá cuando tía Carol volviera a casa y pudiera escuchar sobre su cita.

Mamá y tía Carol salieron temprano para comprar los aperitivos. Todo el mundo sabe que mi mamá es una horrible cocinera: mi familia, mis amigos, los de la ambulancia que una vez tuvieron que venir a salvar a papá de una lasaña. Pero lo que no sabe la gente es que **puede** hacer aperitivos. Y le encanta demostrar sus habilidades.

Y no solo hace rollitos de salchicha. Hace unas cositas deliciosas que nadie cree que las hace ella. Creo que mamá sería una buena cocinera si solo tuviera que preparar comidas para Barbies. Seguramente, estará pendiente para que nosotros no las probemos. Sobre todo Stinker, que es famoso por morder a los invitados en el muslo para que las suelten.

Como mamá no estaba, papá decidió adelantar los **Proyectos** que no había terminado el domingo y no iba a terminar hoy.

Llamé a Isabella para que viniera a ver programas educativos, pero estaba de compras con su mamá.

Domingo 15

Querido Diario Tonto:

Hoy tía Carol y yo pasamos un rato juntas. Fue fenomenal porque me dio la sensación de que éramos de nuevo como aquellas tías y sobrinas chimpancés sin los problemas de trasero que VanDoy nos había hecho estudiar. Fuimos al parque y allí había unos tipos de su edad.

"Creo que esos chicos me están mirando", dijo, lo que puede parecer muy tierno, pero como es mi tía, era realmente asqueroso. Ni siquiera había pensado en tía Carol como alguien a la que los chicos mirarían. Nunca pensé que alguien tan viejo miraría algo salvo los libros de la biblioteca sobre temas como APRENDER A VIVIR CON ESAS HORRIBLES VERRUGAS EN LA ESPALDA.

Cuando era pequeña, pensaba que nunca tendría diez años, **Un Doble Dígito, la Niña Mayor**. Pero sucedió. ***Cumplí diez*** y me di cuenta de que no era tan vieja. Está claro que moverse era más difícil, subir las escaleras y esas cosas, pero por dentro me seguía sintiendo como si tuviera nueve.

Me pregunto a qué edad la gente empieza a mirarte. Me pregunto a qué edad dejan de mirarte. Me pregunto si realmente la habían mirado. O si era ella la que miraba. Más que eso, me pregunto cómo hay que mirar y cómo hay que recibir las miradas. Voy a hacer que Stinker me mire y voy a mirarme en el espejo, a ver qué aspecto tengo cuando me mira. **Cierra la boca.** No tiene nada de raro obligar a tu perro beagle a mirarte. Seguramente lo hace mucha gente.

Así lo hizo Stinker. ¿Estará bien?

Lunes 16

Querido Diario Tonto:

¿Te acuerdas de Bruntford, verdad, Diario Tonto? Es la vaca marina que alguien adiestró para ser la encargada de la cafetería y cuyo trabajo es asegurarse de que todo ande sobre ruedas, como la salsa cuando entra en la boca de una abuela.

¡Qué asco! Creo que me acabo de dar un asco tremendo. No pienso comer salsa en mucho tiempo.

El caso es que fue un almuerzo de lo más normal. Yo y mi amiguita jugábamos a las comiditas, lo que quiere decir que estaba con Isabella. Aunque creo que hablar así no suena nada bien, pero solo lo hago en privado, en mi Viejo Diario Tonto porque tardaría demasiado tiempo en recuperarme de un CRIMEN CONTRA LA POPULARIDAD.

Isabella me contó que una vez a una chica la PILLARON CON UN DEDO EN LA NARIZ. Mira, yo creo que todo el mundo se mete el dedo en la nariz en algún momento, y que un dedo en la nariz en privado no es asunto de nadie. Pero Isabella dice que aunque esta chica era linda, no era lo suficientemente linda para cometer el *TERCER PEOR CRIMEN DACTILAR* en público (no me preguntes por el primero o el segundo) y que treinta años más tarde la metieron en la cárcel por robar un auto.

Vuelta a la cafetería: Bruntford, Isabella, la amiguita, ¿te acuerdas?

Yo estaba metida en mis propios asuntos, caminando de esa manera en la que técnicamente caminas, pero en realidad estás casi corriendo, pero no corriendo de verdad. (En la escuela no se puede correr).

Angelina dijo: "Hola, Jamie", lo que me sorprendió porque Angelina y yo no somos amigas y nunca podremos ser amigas porque ella nació con esa deformidad de ser perfecta.

Pero miré de todas formas, seguramente porque quería saber exactamente cuánto la odiaba en ese momento y, cuando miré, me resbalé con algo.

No estoy diciendo que hubiera un pegote de acondicionador, pero Angelina, que usa demasiado acondicionador, estaba cerca y todas esas horas de programas de detectives de la tele me han enseñado que el villano suele quedarse cerca de la escena del crimen.

No estoy diciendo que fuera el pastel de carne, pero el pastel de carne de la cafetería es tan grasoso que se podría clasificar como lubricante industrial, y también pudo haber caído algo de los colgajos asquerosos de piel que tiene la Bruntford debajo de la nariz. Creo que los llama "labios".

No estoy diciendo que fueran mis zapatos nuevos (que me hacen aparentar unos 20 años), pero cuando me estrellé contra la Bruntford, debía ir a 20 o algo así.

De hecho, iba tan rápido que en realidad me quedé **INCRUSTADA**. Fue como bucear. Ya sabes, como cuando cambia el sonido y no pesas nada.

Pero cuando me desincrusté y salí de la marca que le había hecho, lo siguiente que recuerdo es que estaba de vuelta en la oficina, buscando la explicación que pondrían en mi expediente permanente.

Como ahora tía Carol está en la oficina, supuse que mamá se enteraría rápidamente.

Me podía imaginar la escena claramente. Diría: "Jamie se estrelló contra Bruntford y se quedó un poco incrustada, lo que es una señal clara de que algún día va a robar autos y va a acabar en la cárcel. Además, va a costar mucho dinero quitarle la marca a Bruntford".

Pero eso no fue lo que sucedió. Todo lo que hizo tía Carol fue leer la nota que me había dado Bruntford y dijo:

—Tranquila, amiga—. Y entonces, ¡LA TIRÓ A LA BASURA! Así no más. La ofensa había sido borrada.

—¿No se lo tienes que decir al subdirector Devon? —susurré porque sabía que estábamos cometiendo un crimen.

—Sé lo diré. No te preocupes —dijo y me guiñó el ojo de la misma manera que lo guiña mamá cuando va a hacer que algo desaparezca por arte de magia antes de que papá lo vea, como cuando usé su maquinilla de afeitar para convertir a todos mis muñecos de peluche en chihuahuas.

Pensé en esto todo el día: el poder que tenía mi tía para hacer desaparecer las notas de los maestros, y decidí que nunca jamás de los jamases se lo diría a Isabella. Si Isabella supiera que tengo esta destreza tan increíble, quién sabe lo que haría.

POR SU PROPIO BIEN
Y EL DE LA HUMANIDAD,
JURO SOLEMNEMENTE
NUNCA
DECIRLE A ISABELLA
NADA DE ESTO.

Martes 17

Querido Diario Tonto:

Se lo conté todo a Isabella.

Ya sé que dije que a lo mejor no se lo contaría, pero no podía aguantar más. Y era lo que tenía que hacer porque en realidad no creo que intente aprovecharse de eso; todo lo que hizo fue sonreír un poco, murmurar algo y frotarse las manos, y eso no quiere decir NECESARIAMENTE nada siniestro.

A la hora del almuerzo, cuando Isabella y yo estábamos discutiendo a quién de la escuela dejaríamos tirado en una isla lejana, muy lejana, Angelina, que casualmente fue la primera en la que pensamos, se acercó a mí, me agarró por los hombros y comenzó a agitarme para adelante y para atrás mientras daba pisotones, movía la cabeza y gritaba alegremente con esa risa feliz y chillona que hace que los cachorritos se hagan pis. Me sentí como si me hubiera abrazado un oso. No sé cómo se llama ese saludo, pero hasta que Angelina no te lo haga, probablemente no te darás cuenta de que podría matar fácilmente a alguien que no esté preparado. **¿Homicidio por felicidad? ¿Risocidio?**

Afortunadamente, pero por ninguna razón aparente, Angelina me soltó y salió corriendo. Ni más ni menos. Me pregunté si podría acusarla por saludarme de esa manera. Porque al fin y al cabo me dejó pelos encima. ¿A lo mejor asalto con arma perfumada?

Cuando intentaba pensar de qué sería justo acusarla, vi en el otro lado de la cafetería algo MUCHO más raro. Vi a tía Carol hablando con la Srta. Bruntford. Esto por sí solo podría haber sido causa de alarma, pero además vi a Bruntford intentar ejecutar lo que podría ser un...

Risocidio.

AGITA
AGITA
AGITA
AGITA
PLIF
PLIF
PLIF
PLIF
Gritito
POM POM POM

¿Será eso posible? Angelina, por supuesto, es tan ligera como un hada madrina, y su lustroso cabello brilla a cámara lenta, pero Bruntford claramente no tiene esa misma relación con la fuerza de gravedad. No me sorprendería ver un día a una encargada de la cafetería de tamaño normal orbitando alrededor de Bruntford.

Pero estaba claro: Bruntford intentó dar los pisotones. Intentó mover la cabeza. Trató de dar ese grito chillón que hace que los cachorritos se hagan pis, aunque el de ella está más bien dirigido a cachorritos de chacal. Esto era un **Risocidio** y lo estaba cometiendo contra mi tía Carol. ¿Estaría imitando el comportamiento humano igual que lo haría un chimpancé con un vestido horrible? El Sr. VanDoy dijo que los animales a veces imitan a los seres humanos...

Cuando giré para mirar a Isabella, sabía que había visto todo y una sonrisa siniestra se dibujó en su rostro, como la huella húmeda de un caracol malvado.

Ay, no, creo que me he vuelto a dar asco.

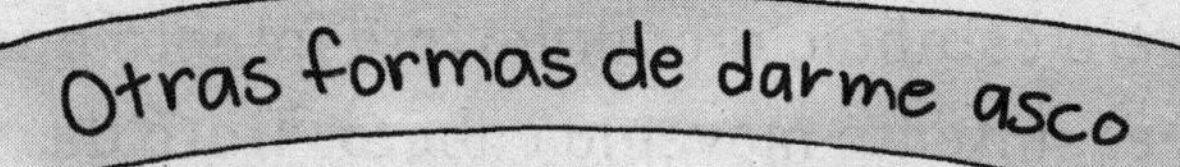

Mirar dentro de la nariz con una linterna y un espejo. (Da asco durante 3 horas).

Convencerme a mí misma de que los espaguetis parecen venas. (Te dan asco los espaguetis durante 4 meses).

No mirar hacia otro lado cuando tu padres se besan. (Todavía me sigue dando asco pero también me hace reír un poco).

Miércoles 18

Querido Diario Tonto:

Hoy la Srta. Anderson llegó tarde a la clase de arte. Estaba más linda de lo normal, es decir, linda como una camarera. Pero hoy estaba tan linda como una patinadora de hielo o una mujer del circo.

Miró nuestros collages, pero apenas notó los detalles.

De hecho, todo lo que quería hacer la Srta. Anderson era darnos el siguiente proyecto, que era el más raro del mundo: hacer una tarjeta para el día de San Valentín, pero sin poner ningún nombre. Eso no es una tarjeta de San Valentín. Entonces me guiñó el ojo y dijo: "Cuento contigo, Jamie", lo que tenía sentido porque puedo hacer tarjetas que hagan que una hormiga se enamore de un oso hormiguero.

Pero entonces también le guiñó el ojo a Angelina, que acababa de entregar su espantoso collage. COMO SI Angelina entendiera las normas básicas de la **Valentinología**. En serio. Angelina puede hacer muchas cosas, pero sus habilidades con la brillantina son muy limitadas. Y ni hablar de su técnica de pintar con algodón. Creo que Angelina quiere robarme mi profesora favorita. ¿Eso se puede hacer? Solo Angelina es capaz de inventarse un crimen nuevo.

Isabella se disculpó por acusarme la segunda vez. Lo que sería un **re-re-acuse**. Sé que esta vez era sincera porque quiere aprovecharse de la capacidad de tía Carol de hacer que las notas de los profesores desaparezcan por arte de magia. También admitió que estaba realmente celosa de mis zapatos (que me hacen aparentar unos 20 años). Primero pensó que eran feos, pero cuando se dio cuenta de lo mucho que me gustaban, decidió que a ella también le gustaban. Incluso se compró unos iguales cuando fue al centro comercial con su mamá. ¿No les parece tierno?

Tengo que tener compasión de Isabella. El no comer azúcar realmente la afecta. Ayer incluso intentó hacerse una galleta Oreo con pan y pasta de dientes.

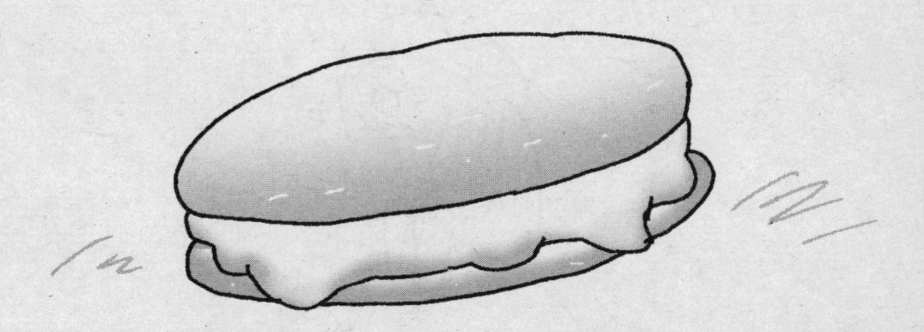

Hoy tía Carol no vino a cenar. Cuando le pregunté a mamá qué pasaba, me dijo: "Nada", pero lo dijo muy rápido, lo que demuestra que estaba esperando la pregunta.

Dijo que tía Carol tenía una cita, otra vez, pero no me iba a decir con quién.

El observar a mamá todo el día haciendo aperitivos había hecho que Stinker estuviera muerto de hambre, así que me resultó fácil hacerle comer frijoles otra vez, con la esperanza de que se tirara un pedo en mi cuarto y pudiera dormir en el sofá y espiar a tía Carol cuando volviera. Pero el cabezota de Stinker se negó a emitir ningún olor, ni siquiera cuando me senté encima de él, así que creo que voy a tener que dormir en mi cuarto y quedarme sin saber con quién ha salido tía Carol.

Jueves 19

Querido Diario Tonto:

Isabella y yo estábamos almorzando hoy **Pastel de carne**. Siempre nos dan pastel de carne los jueves. En el pasado lo intentaron camuflar, pero siempre es lo mismo: vaca triturada que creen que tiene mejor aspecto si le dan forma de ladrillo.

Trucos que han intentado con las sobras del pastel de carne

Isabella y yo estábamos protestando cuando Isabella tuvo una idea. Agarró su bandeja, me dijo que la siguiera y nos fuimos hasta la basura, donde estaba Bruntford. Isabella miró a Bruntford a los ojos y tiró el pastel de carne a la basura. Después agarró mi bandeja, hizo lo mismo y esperó.

El tirar la comida a la basura delante de Bruntford es un riesgo que solo los payasos que hacen rodeo se atreverían a correr. Los hermanos malvados de Isabella le han enseñado a arriesgarse de esa manera aunque tenga miedo, así que Isabella y Bruntford se miraron fijamente durante lo que pareció un minuto entero hasta que Bruntford miró hacia otro lado e Isabella sonrió.

—Tu tía Carol debe de tener algún tipo de efecto calmante sobre Bruntford —dijo Isabella—. Es como cuando ponen una cabra en un establo con un caballo nervioso.

Isabella también dijo que por este mismo motivo ahora podíamos hacer lo que quisiéramos y probó su teoría bebiendo tanta agua como pudo de la fuente. Le dije que creía que no teníamos limitaciones con el agua, pero ella me dijo:

—Ya no, Jamie. Para nosotras ya no.

Viernes 20

Querido Diario Tonto:

Hoy, antes de clase, le pregunté al Sr. VanDoy (el que nunca sonríe) si pensaba que la idea de Isabella de poner una cabra para calmar a un caballo era buena.

Me dijo que sí, lo que me sorprendió porque muchas veces los profesores no saben tanto como Isabella, y muchos no han oído las cosas que Isabella sabe que son ciertas.

Estaba pensando en esto y en la evidencia de que los adultos son animales, cuando la **Desagradibilidad** sucedió. Pero antes de que te hable de la **Desagradibilidad**, Diario Tonto, deberías saber que yo no intentaba meterme en más problemas. Pasó así sin más.

Aquí va la trascripción de los hechos:

ISABELLA: Entonces, ¿sobre qué animales vamos a aprender hoy, Sr. VanDoy?

VANDOY: No estoy seguro. Estoy un poco atrasado.

YO: Mover el trasero desatrasa.

Pasó tan rápido que apenas me di cuenta de lo que dije. La risa destornillante de Isabella y su comentario "Ay, ay, ay, qué dijiste" no ayudó para nada, y el Sr. VanDoy me mandó con una nota a la oficina.

Ningún problema, ¿no? Tía Carol sabrá qué hacer. ¿Verdad? Solo que cuando llegué allí, tía Carol no estaba por ninguna parte. Solo estaban las señoras de la oficina, y aunque todas me sonrieron con sonrisas reales (no las que suelen poner que parecen agujeros en la tapicería), **no** harían desaparecer la nota.

Me sorprendió ver a la Srta. Anderson saliendo de la oficina del subdirector Devon. Estaba más linda que nunca, pero no muy contenta.

—Todo tuyo —dijo y señaló la oficina del subdirector de una manera que parecía que le hubiera gustado meterle el dedo en el ojo.

Le di al subdirector Devon la nota del Sr. VanDoy, y parecía que intentaba aguantar la risa. Los adultos hacen eso muy a menudo, lo que es muy raro, porque ¿a quién no le gusta reírse? Dijo que la próxima vez eligiera mis palabras con más cuidado y que me disculpara con el Sr. VanDoy.

Tiró la nota a la basura y cuando la seguí con mis ojos, vi una tarjeta de **SAN VALENTÍN** en la basura. Era **MI tarjeta**. La que hice en la clase de arte. (Mi mezcla secreta de brillantina es imposible de confundir).

Decía: "**¿Quedamos para comer?**", con la letra maravillosa de la Srta. Anderson. ¿La Srta. Anderson había usado mi tarjeta para preguntarle al subdirector si quería comer con ella? ¿Qué te parece? Me siento tan halagada. ¡Toma esa, Angelina! La Stra. Anderson sigue siendo **MI MPPS.**

Supongo que él dijo que no y por eso estaba enojada. Pero esto es lo raro: la Srta. Anderson y el subdirector Devon llevan trabajando muchos años juntos. ¿Por qué de repente le da ahora una tarjeta? ¿Por qué él le dijo que no? ¿Por qué mis **poderes de brillantinización** y mi **mezcla secreta** no funcionaron?

Es un verdadero misterio.

P.D.: Le volví a dar frijoles a Stinker. Sé que se los está aguantando. ¿Cómo puede ser tan egoísta?

Sábado 21

Querido Diario Tonto:

Mamá dice que como tía Carol va a tener su fiesta en nuestra casa el viernes que viene y van a poner todos los abrigos en mi cuarto, debería empezar a ordenarlo. El proceso suele tomar cinco días. No me gusta ordenar mi cuarto, pero es interesante excavar y encontrar las evidencias de otras civilizaciones de Jamie enterradas en las profundidades de la basura que hay a la vista.

Domingo 22

Querido Diario Tonto:

Hoy tía Carol y yo pasamos un rato juntas. Hablamos de su trabajo, que ella dice que le "CHIFLA". Dice que le chifla la escuela y la gente con la que trabaja y yo y la gente con la que trabaja y todo el mundo y la gente con la que trabaja.

La puse al día sobre algunas personas con las que trabaja ya que solo lleva ahí un par de semanas, y los adultos, como los animales, deben saber de qué pie cojean sus manadas.

Le dije que las señoras de la oficina antes eran malvadas, pero que ahora son simpáticas y creo que es porque tía Carol ha sustituido los caramelos rancios por chocolate, o a lo mejor ella es para ellas como la cabra que calma, como con Bruntford.

Le dije que el Sr. Evans, que es mi profesor de inglés, tiene una vena en la cabeza que se le hincha cuando se enoja, pero al igual que un elefante de mentira, asusta más que ataca.

Le conté que la Srta. Anderson le había dado una tarjeta que yo había hecho al subdirector Devon, cuando ella no estaba en la oficina, de la misma manera que un pájaro le puede ofrecer a otro pájaro una pluma gorda con brillantina como parte de un ritual de cortejo.

Tía Carol empezó a ponerse roja y enojada y supongo que es porque no le gustan los pájaros.

Oye, a mí tampoco me encantan, pero tía Carol, no es para tanto.

Así fue como cambió.

¿Estará en contra de las tarjetas?

Lunes 23

Querido Diario Tonto:

Tía Carol me llevó a la escuela hoy y Bruntford estaba vigilando el estacionamiento como siempre que no vigila la cafetería.

Tía Carol se detuvo un momento para hablar con ella mientras yo entraba en la escuela. Esta no es la primera vez que las veo hablando. Supongo que Bruntford le estaba diciendo que tenía que estacionar en otro sitio o terminar el pastel de carne o cualquier otra tontería de esas que dice.

Ese día, más tarde, Angelina volvió a cometer otro **Risocidio**. Las pataditas, los meneos y los grititos.

"¡¡¡¡¡¡¡Los lentes!!!!!!! ¡¡¡¡¡¡¡Se le cayeron!!!!!!!! ¡¡¡¡¡¡¡Tu tía!!!!!!!! Al principio estaba enojada... pero... ¡¡¡¡¡¡¡eeeeeeeehh!!!!!!!! ¡¡¡¡¡¡Este viernes!!!!!!!" (No exagero con los signos de exclamación). Todo lo que podía hacer era defenderme para que no me estrangularan los cabellos dorados y sedosos de Angelina, como cuando luchas contra un pulpo enorme que huele a champú de manzana verde.

¿Por qué hace esto Angelina?

Le pregunté a mamá qué pensaba de Angelina pero estaba demasiado concentrada preparando sus deliciosos aperitivos y manteniendo a Stinker a distancia. Todo lo que dijo fue:

—Me gusta Angelina. Es una chica encantadora—. Al oír eso, sabía que no tenía ni idea de quién estaba hablando.

Las mamás pueden luchar contra tres perros gordos sin interrumpir su trabajo

Martes 24

Querido Diario Tonto:

Hoy Isabella se metió en líos OCHO VECES. Sigue haciendo cosas lo suficientemente malas para que la manden a la oficina del subdirector Devon, pero no tanto que hagan que el profesor llame a la policía.

Lista de vandalismos de Isabella:

- Le dijo a la Srta. Palmer, la profesora de ciencias, que la biología es el estudio de cosas que son demasiado asquerosas para ponerlas en otra "ología" y por eso ella lo enseña.
- Corrió por el pasillo.
- Hizo un dibujo nada atractivo del Sr. Evans en el pizarrón. (Lo que no hubiera tenido importancia si no fuera por la falda hawaiana y el sujetador).

¡Y aún hay más!

- Volvió a correr por el pasillo.
- Le recordó a la profesora de matemáticas que ya se habían inventado los microondas y que la gente no tenía que hacer palomitas de maíz con fuego. Y que ahora que tenemos calculadora, dentro de poco tampoco necesitaremos profesores de matemáticas.
- Les dijo a las señoras de la cafetería que sus macarrones con queso olían como las entrañas de un pollo muerto.
- Volvió a correr por el pasillo OTRA VEZ.

- Por último, tuvo una discusión con el Sr. Dover, nuestro profesor de gimnasia, sobre correr. Isabella le dijo que no se puede correr en la escuela.

Obviamente se estaba aprovechando de que tía Carol estaría dispuesta a deshacerse de las notas de los profesores y quería saber hasta dónde podía llegar. Yo ni siquiera se lo quise comentar esta noche a tía Carol porque estoy avergonzada de Isabella. Hablaré con Isabella mañana y le pediré que no se pase.

Isabella es como un corderito.
Y sé que no se va a pasar.

Miércoles 25

Querido Diario Tonto:

Isabella en realidad siempre se pasa.

Le traté de explicar que estaba abusando del recurso natural de tía Carol y que si seguía así se iba a agotar. Un día no la tendremos cuando la necesitemos de verdad, en caso de que metamos a Angelina en un casillero y lo soldemos sin querer. (Hace poco aprendí a soldar por Internet. Por casualidad).

A Isabella no le importa. Siguió cometiendo crímenes durante todo el día y la Srta. Anderson la acompañó personalmente a la oficina.

Yo le dije que si seguía así, tarde o temprano la castigarían, y creo que por un segundo le llegó el mensaje porque se detuvo a pensar.

Hoy por la noche, quería disculparme con tía Carol por el comportamiento de Isabella, pero resulta que hoy tiene otra cita y Stinker sigue sin soltar ni uno. (Hoy intenté darle col y brécol y no se pudo resistir porque los aperitivos de mamá lo están volviendo loco). Se está hinchando un poco.

Jueves 26

Querido Diario Tonto:

Pastel de carne. Y no solo pastel de carne. Angelina además se sentó en nuestra mesa. No tengo ni idea de por qué decidió sentarse con Isabella y conmigo, pero Angelina se sienta donde quiere. Parece ser que es inmune a las **Normas de las Mesas de la Cafetería.** (Está la mesa de los chicos populares, la mesa de los repelentes, la mesa de los chicos computadoras... puedes hacerte una idea).

Angelina se sentó muy simpática y juguetona.

—Menudo romance de oficina, ¿eh? —dijo.

—Sí —dije sin saber de qué estaba hablando.

—Nuestro subdirector parece haberse enamorado —susurró.

—Desde luego. La Srta. Anderson va embalada —dijo Isabella.

Angelina se atragantó un poco, pero ese es el efecto que tiene el pastel de carne en casi todo el mundo.

—¿La Srta. Anderson? —dijo.

—Sí —dijo Isabella—. He ido a la oficina unas dieciséis veces en dos días, y siempre veo a la Srta. Anderson, con alguna excusa para ir a la oficina del Sr. Devon. Le dio la tarjeta de Jamie. De hecho, actúa igual que Jamie cuando quiere hablar con Hudson.

(Hudson Rivers, a lo mejor te acuerdas, Diario Tonto, es el octavo chico más lindo de mi curso, y **¡cierra la boca, Isabella!**)

Entonces Angelina cambió. Vi cómo sus ojos azules se entrecerraban. Se le hinchó la nariz un poco y se convirtió en... bueno, seguía siendo perfecta, pero un poco menos femenina. Y su eterna sonrisa se convirtió en lo que parecía un gesto ceñudo, como el que pondría un Oso Amoroso.

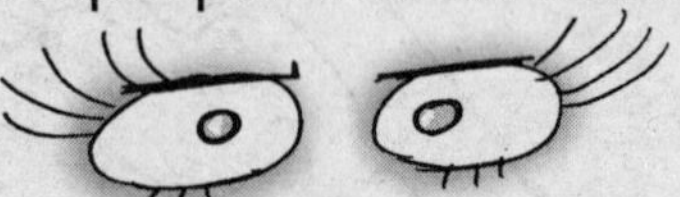

Yo estaba feliz. ¿No te parece increíble lo celosa que estaba porque la Srta. Anderson había elegido MI tarjeta? Así que al final no me has robado mi profesora favorita, ¿eh, Angelina?

Cuando miré hacia arriba, vi que Bruntford estaba en nuestra mesa. ¿Estaba vigilando como siempre o estaba **CHISMOSEANDO?** No me lo pregunté durante mucho tiempo porque la vi observar a la Srta. Anderson, que estaba al otro lado de la cafetería caminando de una forma muy linda.

Curiosamente, Isabella miraba a la Srta. Anderson con la misma expresión. No tenía ni idea de que dos caras tan distintas podían poner la misma expresión.

Sonó la campana y nos separamos. Esperé a Isabella en los casilleros, pero no apareció. Alguien me dijo que la habían castigado. La falta de azúcar realmente la está afectando mucho.

Tía Carol había vuelto a salir a cenar y le pregunté a mamá si algún día volvería a cenar con nosotros, y ella sonrió y dijo que creía que tía Carol iba a mudarse a su propia casa muy pronto y que no le sorprendería si después de la fiesta de mañana la viéramos incluso menos.

Ahora es más importante que nunca averiguar qué está pasando y solo me puede ayudar Stinker.

Le di una lata de frijoles y unos crepes congelados después de cenar y le expliqué lo importante que era que se tirara pedos en mi cuarto antes de la hora de dormir. Según el reloj de la pared, solo le quedaban dos minutos y parecía que este perro me iba a desobedecer **OTRA VEZ**.

ADMÍTELO, STINKER. ESTÁS LLENO DE GAS.

Viernes 27

Querido Diario Tonto:

Ayer castigaron a Isabella. Le dije que había un límite en lo que tía Carol podía hacer con las notas de los profesores.

Y hablando de profesores, la fiestecita de tía Carol hizo que vinieran profesores a MI CASA. No es broma. PROFESORES DE VERDAD. No se me había ocurrido que como tía Carol había empezado a trabajar en la escuela, invitaría a profesores y señoras de la oficina a mi propia casa.

Te lo digo en serio. El Sr. Dover, el profesor de gimnasia, estaba ahí. Y no llevaba silbato ni una tablilla con papeles y no le decía a nadie que se moviera.

La Srta. Palmer, la profesora de ciencias, estaba ahí, con un vestido que le quedaba hasta **BIEN**. Pensé que me iba a dar asco escribir esto, pero no.

El Sr. Evans estaba ahí, pero la vena de su cabeza, no. Parecía un ser humano que no tenía una vena grande y horrorosa en la cabeza.

Las señoras de la oficina estaban ahí y no estaban siendo malvadas, aunque mi mamá no les daba las barritas de chocolate. Me empecé a preguntar si la señora de la oficina que tuvo el accidente era la que las hacía ser tan gruñonas. A lo mejor era como la cabra que no calma, como la cabra que se pasa el día haciendo collages en el establo.

Debía de haber unos quince profesores en mi casa, incluyendo al Sr. VanDoy, que seguía sin sonreír, pero por lo menos ahora no daba tarea de ciencias sociales.

Entonces, el subdirector Devon llegó, y tía Carol, que pensé que no estaba mirando por donde iba, se lanzó hacia él de la misma manera que yo choqué con Bruntford. Exactamente igual, excepto por el...

BESO

Todavía sigo sin creerlo. Era uno de esos besos increíbles y espantosos, que a la misma vez son superasquerosos y superexcelentes, como dos personas intentando mascar el mismo trozo de chicle. Mi tía y el subdirector Devon SE BESARON.

Necesitábamos una palabra que definiera cosas que son lindas y repugnantes a la vez.

Y justo en ese momento aparece Isabella con Bruntford (¿QUÉ TE PARECE?) que, con voz muy simpática dijo:

—¿Me he perdido algo?—. Miré a Isabella y vi que tenía las manos sucias. Bruntford también. Supuse que habían estado luchando, pero Isabella me llevó al baño y me lo contó todo.

A Isabella la castigaron ayer. Isabella dijo que a los cinco minutos de estar en la oficina se dio cuenta de que Angelina no se refería a la Srta. Anderson. Se refería a tía Carol. Isabella dijo que era obvio que tía Carol y el subdirector Devon se gustaban, lo que explica el beso, y que había oído a tía Carol hablar de lo "especial" que iba a ser esta fiesta y cómo deseaba que la Srta. Anderson no viniera.

Isabella dijo que todos estos amoríos eran muy buenos porque a ella le iba a ir muy bien personalmente.

Yo no entendía. Sí, claro, sabía que tía Carol no quería que la Srta. Anderson se dedicara a coquetear en su fiesta con el subdirector Devon, pero ¿por qué iba a estar interesada la Srta. Anderson? Podía haber salido con el subdirector Devon durante los últimos cinco años. ¿Por qué de repente estaba tan interesada?

La Srta. Anderson es una experta en posar.

Isabella señaló nuestros zapatos idénticos (los que me hacen aparentar unos 20 años). Luego recordé por qué los había comprado. Los compró porque yo los tenía.

La Srta. Anderson era igual que Isabella con mis zapatos. Pero en su caso, el subdirector eran mis zapatos y tía Carol era yo, la primera que tuvo los zapatos. Angelina realmente no tiene ningún papel en esto. El caso es que a la Srta. Anderson le gustaba el subdirector Devon solo porque a tía Carol le gustaba.

Entonces Isabella confesó **POR QUÉ** a ella le había venido tan bien este asunto personalmente. Ella se metía en problemas a propósito para comer chocolates. Cada vez que iba a la oficina, tía Carol tiraba la nota de los profesores e Isabella agarraba un puñado de chocolates. Isabella hacía sus crímenes por chocolate. Sabía que yo tenía razón, pero no lo intentó **evitar**. Pensó que si la castigaban, podría ir a la oficina y comer todos los chocolates que quisiera.

Pero en cuanto se dio cuenta de la situación, tenía que asegurarse de que la Srta. Anderson no destrozara la FUENTE INFINITA DE CHOCOLATES. Además, la Srta. Anderson no había aceptado su idea de decorar candados y eligió la idea de los collages de Angelina y se tenía que vengar de eso también. (¿Te acuerdas? Isabella nunca olvida).

Isabella no iba a renunciar a los chocolates...

Por eso hoy, después de la escuela, Isabella salió corriendo al estacionamiento, se puso a cuatro patas y fue gateando hasta el auto de la Srta. Anderson. Su plan era desinflar una de las ruedas de su auto para que no pudiera llegar a la fiesta. Pero cuando llegó al auto, Bruntford ya estaba desinflando la rueda.

¿Por qué? Dime **¿POR QUÉ?** ¿Tú sabes por qué? **¿Quieres saber por qué?** Isabella le preguntó por qué. ¿Y sabes qué dijo? Que tía Carol era su amiga. Por alguna extraña razón las dos se hicieron muy amigas. Parece que se **CAYERON BIEN A PRIMERA VISTA**. Bruntford lo hizo por su amiga. Y en ese momento, ella e Isabella eran... seres humanos normales. Eran dos personas disfrutando de un maravilloso crimen juntas. Bruntford hasta trajo a Isabella a mi casa.

También un poco LINDOPUGNANTE

Salimos del baño justo cuando llegó Angelina. A MI CASA. Y tenía las manos, por primera vez en su vida, sucias. ¿Qué hacía Angelina aquí? ¿Y por qué tenía las manos sucias?

Afortunadamente, allí estaba el subdirector para llegar al fondo de la cuestión.

—¿Dónde estabas, Angelina? ¿Por qué tienes las manos sucias?

—Estaba ayudando a la Srta. Anderson a cambiar una rueda pinchada —dijo.

¡OH, NO! ¡LO SABÍA! Angelina siempre ayuda al enemigo.

—Este... y... ¿dónde está la Srta. Anderson? —preguntó tía Carol en un tono que parecía estar hablando de un tigre salvaje.

—Supongo que no fui de gran ayuda —dijo Angelina—. Perdí los tornillos y no pudimos poner la rueda de repuesto. La Srta. Anderson me pidió que la disculparan. Dijo que seguramente no llegará a la fiesta.

—Ve a lavarte las manos, Angelina —dijo el Sr. Devon—. Tengo que anunciar algo.

Isabella observó a Angelina entrar en mi casa, que ahora estaba llena de profesores. Cuando salió del baño, oímos la noticia:

El subdirector Devon puso la mano en la cintura de tía Carol.

—Me gustaría presentarles a la futura Sra. Devon. Carol y yo estamos comprometidos —dijo.

Angelina se acercó y abrazó al subdirector Devon.

—Enhorabuena, tío Dan —dijo.

¿TÍO DAN?

¿Angelina es su SOBRINA? Todo tenía sentido. Angelina lo **sabía**. Sabía que yo era la sobrina de tía Carol. **¿Eso quiere decir que seremos parientes?** Seguro que por lo menos seremos co-sobrinas. Mamá dijo que no hay nada que te ponga más nervioso que un pariente. Isabella dijo lo mismo. Angelina y yo ahora somos... ¿primas? ¿Primas segundas? Algo así. En cualquier caso, Angelina será la sobrina de mi tía, igual que yo. Angelina lo sabía y sé que estaba disfrutando con todo esto.

Mi mamá lloró. Bruntford intentó hacer un **Risocidio** contra Isabella, pero por alguna razón, esta vez se veía... *bien*. Como si no fuera tan raro ver a Bruntford feliz.

Los profesores aplaudieron, se rieron y brindaron. Angelina se puso a mi lado y creo que lo hizo para parecer más limpia, adorable y lista por comparación. A partir de este momento, nunca en mi vida pareceré limpia ni adorable ni lista. Como mucho, puedo aspirar a ser la **SEGUNDA MÁS SUCIA y NO LA MÁS TONTA.**

Era como si nadie en la tierra se percatara de la gran tragedia que era estar emparentada con Angelina.

Excepto a lo mejor Stinker, que eligió este preciso momento para expresar cómo me sentía al entrar en la sala y tirarse el pedo que llevaba cocinando durante tres semanas.

Tuvimos que salir afuera corriendo y mirar por las ventanas mientras Stinker se comía todos los deliciosos aperitivos de los platos. Lo tenía todo planeado. Lo sabía. Nadie estaba dispuesto a volver a la casa. Nadie podría hacerlo. Bien hecho, Stinker, chucho apestoso.

Pensé que a mamá le iba a dar un ataque. Llevaba mucho tiempo planeando esta fiesta y ahora todo su duro trabajo iba a desaparecer en la garganta de un perro beagle. Pero entonces se oyó una risotada fuera de control, de esas que se contagian al oírlas.

Era el Sr. VanDoy. Le parecía muy gracioso que un perro hubiera evacuado la casa con su pedo. Pedos de perro. Así es. Eso es lo que hace reír a VanDoy. Y también hizo reír al resto, incluyendo a mi mamá, lo que considerando el tiempo que había pasado preparando los aperitivos, es bastante increíble.

Me acerqué a darle la enhorabuena a tía Carol. No lo sentía de corazón, pero ella estaba tan feliz que no era capaz de decirle nada malo sobre Angelina.

Pero como tengo mucha fuerza de voluntad, conseguí hacerlo.

—¿Sabes que Angelina estaba ayudando a la Srta. Anderson para que viniera a la fiesta? Qué cosas, ¿no? Fíjate cómo intentaba estropear este momento tan especial.

Pero tía Carol solo sonrió y dijo:

—Jamie, el otro día Angelina me cambió el aceite del auto. Esa chica sabe mucho de autos. Si Angelina perdió los tornillos, lo hizo a propósito.

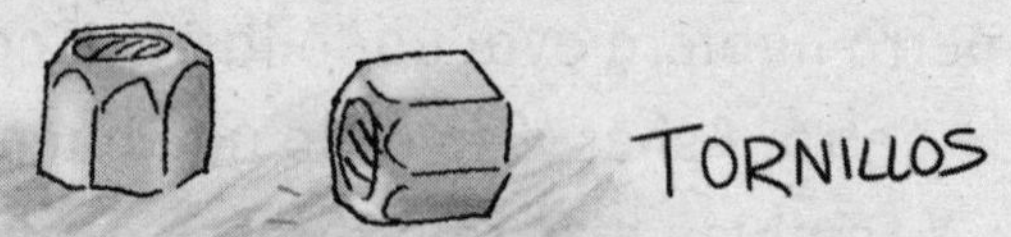

Entonces lo entendí todo. Angelina debió ver a la Srta. Anderson cambiar la rueda y sabía que conseguiría llegar y estropear la fiesta de tía Carol. Así que Angelina hizo que la iba a ayudar y perdió los tornillos a propósito. Lo hizo porque sabía que el subdirector Devon y tía Carol estaban hechos el uno para el otro. No le molestó el hecho de que la Srta. Anderson eligiera mi tarjeta, le molestó que se estuviera entrometiendo.

Aunque sigo pensando que parte de su motivación era hacerme quedar mal. A partir de ahora tengo que asegurarme que mi espantoso primo pequeño vaya a todos los eventos familiares para poder llevarlo como un accesorio. Eso ayudará en algo.

Al final apareció la Srta. Anderson. La trajo el tipo de la grúa que había ido a remolcar su auto. Empezó a hablar y a reírse con el subdirector Devon y tía Carol como si no hubiera pasado nada. Y como el de la grúa era buen tipo, Isabella dijo que la Srta. Anderson no nos iba a odiar. Y todos sabemos que Isabella es una experta en eso.

Me senté en el porche y observé a todos hablando y riéndose en el jardín. Y me acordé de cuando Isabella y yo intentábamos averiguar si los adultos podrían ser humanos y llegamos a la conclusión de que no.

Pero también me di cuenta de que los humanos tampoco pueden convertirse en adultos.

Esta es mi teoría: Todos nos enojamos, todos nos preocupamos por nuestros amigos y todos tenemos un lado egoísta. Los animales también. La diferencia es que los humanos nos reímos de las cosas y nos reímos como locos. Fue el Sr. VanDoy el que me hizo preguntarme: ¿los adultos pueden convertirse en humanos? Y fue el Sr. VanDoy el que me ayudó a encontrar la respuesta. Hoy, aquí, en mi casa, todos éramos humanos. No había adultos.

Así que... ¿qué son los adultos y de dónde vienen? No tengo ni idea, pero estoy segura de que no quiero ser uno de ellos.

¿Quién hubiera pensado que el pedo de un perro iba a abrirme los ojos y darme picazón a la vez?

Gracias por escuchar, Diario Tonto.

Jamie Kelly

Acerca de Jim Benton

Jim Benton no es una chica de la escuela secundaria, pero no lo culpes por ello. Al menos, ha logrado ganarse la vida siendo divertido.

Es el creador de muchos productos con licencia, algunos para niños grandes, otros para niños pequeños y otros para algunos adultos que, francamente, se comportan como niños pequeños.

A lo mejor ya conoces sus creaciones, como It's Happy Bunny™ o Just Jimmy™, y estás a punto de conocer el Querido Diario Tonto.

Jim ha creado series de televisión para niños, ha diseñado ropa y ha escrito libros.

Vive en Michigan con su esposa y sus hijos espectaculares. En la casa no tienen perro y, mucho menos, uno vengativo. Esta es su primera serie para Scholastic.

Jamie Kelly no sabe que Jim Benton, tú o cualquier otra persona ha leído sus diarios.